El nabo gigante

The Giant Turnip

Adapted by Henriette Barkow
Illustrated by Richard Johnson

Spanish translation by Maria Helena Thomas

Mantra Lingua

Cada año los alumnos de la clase de la señorita Honeywood cultivan frutas y verduras en el jardin de la escuela.

Every year the children in Miss Honeywood's class grow some fruit and vegetables in the school garden.

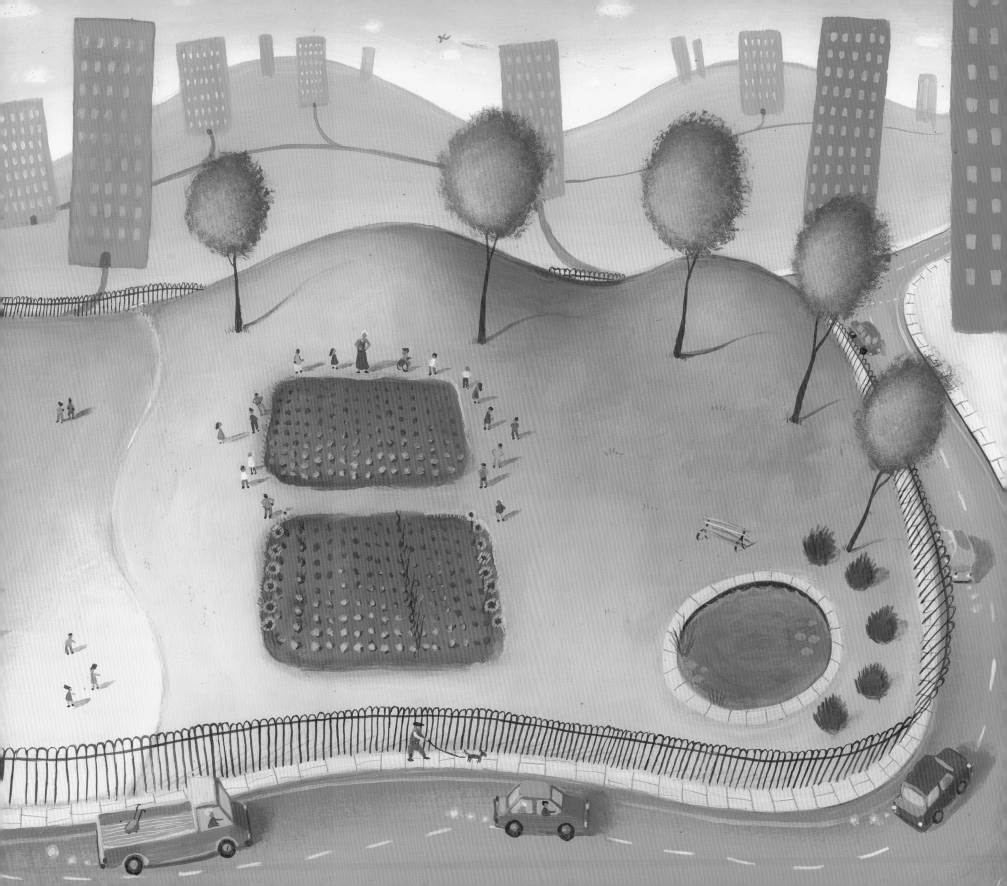

Este año decidieron cultivar

This year they decided to grow

lechugas,   rábanos,   zanahorias,   tomates,

lettuces,   radishes,   carrots,   tomatoes,

girasoles,   guisantes   y nabos.

sunflowers,   peas   and turnips.

Al principio de la primavera los niños
prepararon la tierra excavando y rastrilleando.

In early spring the children prepared the ground by digging and raking the soil.

Más tarde, cuando el peligro de las heladas había pasado, los niños sembraron las semillas.

Later in the spring, when there was no danger of frost, they planted the seeds.

Durante el verano los niños abonaron las
plantas y les dieron agua.
Y arrancaron todas las malas hierbas.

In the summer the children fed
and watered the plants.
And pulled out all the weeds.

Cuando los niños regresaron, después de las vacaciones de verano, todas las frutas y las verduras habían crecido.

When the children came back, after their summer holiday, they found that all the fruit and vegetables had grown.

¡Pero el nabo era increíble! Era más alto que una jirafa y más ancho que un elefante.

But when they saw the turnip, they could hardly believe their eyes! It was taller than a giraffe, and wider than an elephant.

Cuando la señorita Honeywood salió de su asombro se preguntó: "¿Cómo vamos a hacer para sacar el nabo de la tierra?"

When Miss Honeywood had recovered from the shock, she asked, "How are we going to get the turnip out?"

"Yo sé cómo. Podríamos sacarlo con un helicóptero" – dijo Kieran.

"I know, we could get a helicopter to pull it out," said Kieran.

"O levantarlo con una grúa"
– sugirió Tariq.

"Or we could get a crane to lift it,"
suggested Tariq.

"O excavarlo con una
excavadora" – dijo Kate.

"Or a bulldozer to dig it up,"
said Kate.

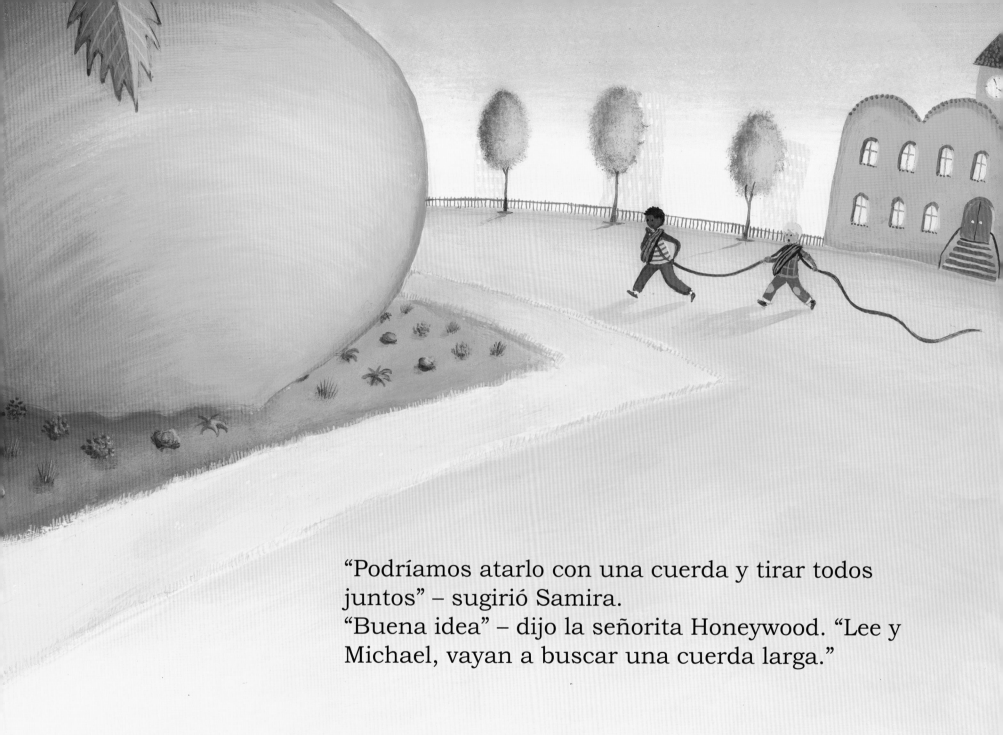

"Podríamos atarlo con una cuerda y tirar todos juntos" – sugirió Samira.
"Buena idea" – dijo la señorita Honeywood. "Lee y Michael, vayan a buscar una cuerda larga."

"We could tie a rope around it and all pull together," suggested Samira.
"That's a good idea," said Miss Honeywood. "Lee and Michael, go and get the long rope."

Los niños ataron la cuerda alrededor del nabo gigante. Los chicos agarraron la cuerda primero y tiraron con todas sus fuerzas, pero sin resultado.

The children tied the rope around the enormous turnip. The boys grabbed the rope first. They pulled and pulled with all their strength but nothing happened.

"Nosotras somos más fuertes"
– gritaron las chicas. Agarraron
la cuerda y tiraron de ella con
todas sus fuerzas pero el nabo
continuaba sin moverse.

"We're stronger than the boys!"
shouted the girls and they grabbed
the rope.
They pulled and pulled with all their
strength but still the turnip would
not move.

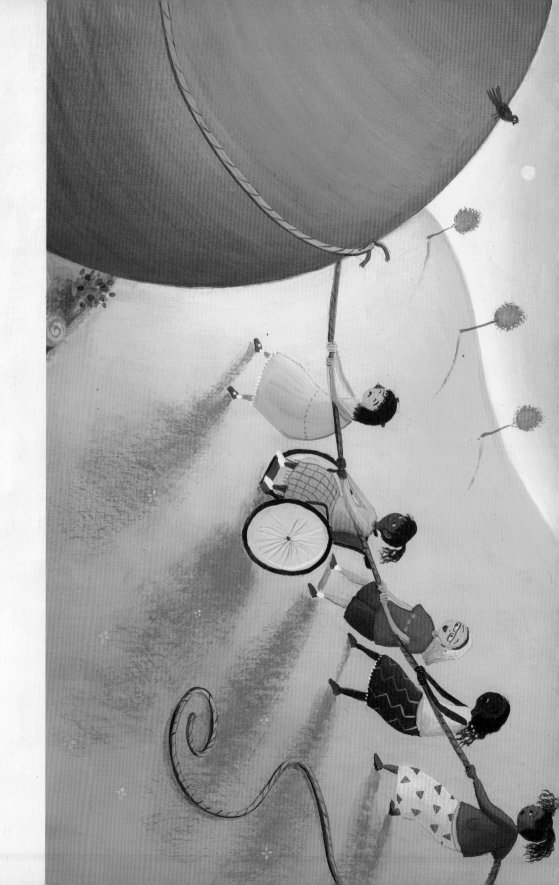

"Tratemos todos juntos" – dijo la señorita Honeywood – "Preparados…"
"¡Uno…dos… y… tres!" – gritaron los niños, ye tiraron de la cuerda.

"Let's all try together," suggested Miss Honeywood. "On the count of three."
"One, two, three!" shouted the children and they all pulled together.

Pero el nabo continuaba sin moverse.

But the turnip still would not move.

En ese preciso momento llegó Larry.
"¡Larry!" – gritó Tariq – "¡Necesitamos tu ayuda!"
Larry corrió hacia el final de la cuerda y la agarró.
"¡Uno…dos… y… tres!" – gritaron los niños, tirando de la cuerda.

Just then Larry arrived.
"Larry!" shouted Tariq. "We need your help!"
Larry ran to the end of the line and grabbed the rope.
"One, two, three!" shouted the children and they all pulled together.

El nabo empezó a moverse muy lentamente hasta que comenzó a salir de la tierra. Los niños tiraron de la cuerda con más fuerza y el nabo salió de su hueco hasta que rodó por el césped.
La clase se puso a gritar y a bailar de alegría.

The turnip wobbled this way and that, and then it slowly moved. They pulled even harder and at last the turnip rolled out of its hole and onto the grass. The class cheered and danced around with joy.

Al día siguiente, a la hora del almuerzo, la clase de la señorita Honeywood celebró un enorme banquete de nabo hubo suficiente sorbras para todo el colegio.

The next day for lunch Miss Honeywood's class had the biggest turnip feast ever and there was enough left over for the whole school.

To Mum, Dad, Maggie & Ben
H.B.

For Sushila
R.J.

First published in 2001 by Mantra Lingua Ltd
Global House, 303 Ballards Lane
London N12 8NP
www.mantralingua.com

A CIP record for this book is available from the British Library